D1583003

DUFTENDE KRÄUTER

·MALCOLM HILLIER·

DuMont Buchverlag Köln

Die Deutsche Bibliothek – CIP-Einheitsaufnahme

•

Hillier, Malcolm:
Duftende Kräuter/Malcolm Hillier.
[Aus dem Engl. von Annette Roellenbleck]. –
Köln, DuMont, 1993
(Ein Dorling-Kindersley-Buch)
Einheitssacht.: Fragrant herbs <dt.>
ISBN 3-7701-3264-5

EIN DORLING KINDERSLEY BUCH
ORIGINALTITEL: THE LITTLE SCENTED LIBRARY. FRAGRANT HERBS

•

AUS DEM ENGLISCHEN VON ANNETTE ROELLENBLECK

•

© 1992 DORLING KINDERSLEY LIMITED, LONDON
© 1992 TEXT COPYRIGHT: MALCOLM HILLIER
© 1993 DER DEUTSCHEN AUSGABE: DUMONT BUCHVERLAG, KÖLN
ALLE DEUTSCHSPRACHIGEN RECHTE VORBEHALTEN

•

SATZ: FOTOSATZ FROITZHEIM GMBH
PRINTED IN HONG KONG

•

ISBN 3-7701-3264-5

INHALT

EINFÜHRUNG

Gerade in den letzten Jahren hat das Interesse an den wohltuenden Eigenschaften der Kräuter eine bemerkenswerte Zunahme erfahren. Das Wissen um Würze, Wohlgeruch und Heilkraft der aromatischen Blüten und Blätter ist so alt wie die Menschheit; schon die frühen Hochkulturen besaßen darüber umfangreiche Kenntnisse, die zum Teil sogar schriftlich überliefert sind, und eine duftende Spur zieht sich durch die Jahrtausende bis in unsere Zeit.

Die meisten gebräuchlichen Kräuterpflanzen gedeihen gut in gemäßigtem Klima mit warmen, trockenen Sommern und milden Wintern. Zwar ist die Auswahl, die Lebensmittelläden und Gärtnereien bereithalten, beachtlich, es lohnt sich aber in jedem Fall, in einer sonnigen Ecke des Gartens ein Kräuterbeet anzulegen oder sie in Töpfen auf dem Balkon oder Fensterbrett selbst zu ziehen, denn Würzkraft und Geschmack sind natürlich um so intensiver, je frischer man die Pflanzen verwendet.

Ob nun gekauft oder selbst gezogen – erfreuen Sie sich mit Hilfe unserer Vorschläge an der aromatischen Würze, den hinreißenden Düften und den wohltuenden Heilkräften.

BLÜTEN

*V*iele Kräuterpflanzen schmücken sich mit Blüten, die nicht nur dekorativ, sondern auch eßbar sind. So entwickeln z. B. Kapuzinerkresse, Schnittlauch, Indianernessel und Ringelblume wohlschmeckende Blüten, die aparte und farbenprächtige Zutaten für Salate abgeben.

6

Jerusalemsalbei
Blätter und Blüten duften streng und intensiv

Gamander
rosa Blüten mit würzigem Aroma

Kapuzinerkresse
blüht farbenprächtig in Gelb- und Orangetönen

Oregano *angenehm würziger aromatischer Duft*

Heiligenkraut
fremdartiges, scharfbitteres Aroma

Borretsch
riecht intensiv nach Gurke

**Blaublü-
hender
Salbei**
leuchtendblaue,
bittere Blüten

Indianernessel
schweres orien-
talisches Aroma

Wegwarte
zartbittere,
eßbare
Blüten

Schnittlauch
dekorative
Blüten, frisches
Zwiebelaroma

Ysop
balsamischer
Duft

Houttuynia
kleine creme-
farbene Blüten

Myrte
zarte, nach
Honig duftende
Blüten

7

Kamille
strenges Aroma,
heilkräftige Wirkung

Ringelblume
leuchtende Farben,
pikanter Geschmack

BLÄTTER

*W*ir kennen eine Vielzahl von Kräuterpflanzen, deren Blätter als duftende Aromaspender in der Küche sehr begehrt sind. Ihr Wohlgeruch ist aber auch anderweitig verwendbar, so zum Beispiel als interessante Bereicherung für Potpourrimischungen.

8

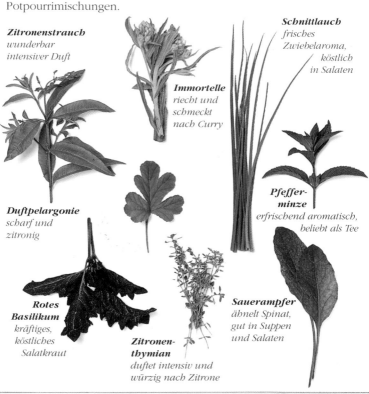

Zitronenstrauch
*wunderbar
intensiver Duft*

Immortelle
*riecht und
schmeckt
nach Curry*

Schnittlauch
*frisches
Zwiebelaroma,
köstlich
in Salaten*

**Pfeffer-
minze**
*erfrischend aromatisch,
beliebt als Tee*

Duftpelargonie
*scharf und
zitronig*

**Rotes
Basilikum**
*kräftiges,
köstliches
Salatkraut*

**Zitronen-
thymian**
*duftet intensiv und
würzig nach Zitrone*

Sauerampfer
*ähnelt Spinat,
gut in Suppen
und Salaten*

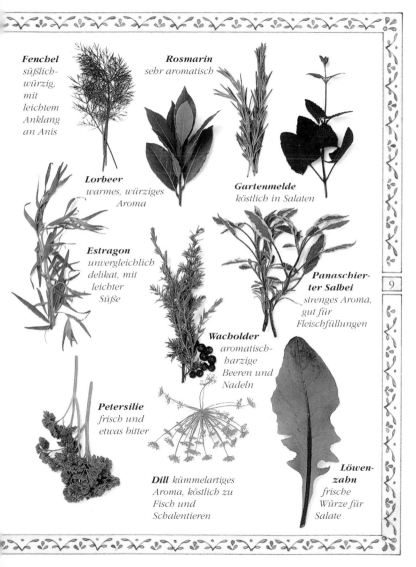

Fenchel
*süßlich-
würzig,
mit
leichtem
Anklang
an Anis*

Rosmarin
sehr aromatisch

Lorbeer
*warmes, würziges
Aroma*

Gartenmelde
köstlich in Salaten

Estragon
*unvergleichlich
delikat, mit
leichter
Süße*

**Panaschier-
ter Salbei**
*strenges Aroma,
gut für
Fleischfüllungen*

Wacholder
*aromatisch-
harzige
Beeren und
Nadeln*

Petersilie
*frisch und
etwas bitter*

Dill *kümmelartiges
Aroma, köstlich zu
Fisch und
Schalentieren*

**Löwen-
zahn**
*frische
Würze für
Salate*

ANBAU

*I*n unseren gemäßigten Breiten
lassen sich die meisten Kräuter
problemlos ziehen. Fast
alle gedeihen nicht nur im
Garten, sondern nehmen notfalls
auch mit einem Blumentopf
vorlieb. Geben Sie ihnen
einen hellen, sonnigen
Platz auf dem Balkon, in
einem geschützten
Innenhof oder auch auf
dem Fensterbrett in Ihrer
Küche. Sie brauchen vor allem
viel Licht, nahrhaften Boden,
gute Drainage, und im Sommer möchten
sie ausgiebig gegossen werden.

IMMERGRÜNE KRÄUTER
*Diese dekorative Gruppe immergrüner Kräuter
besteht aus Lorbeer, Petersilie, Heiligenkraut,
Zitronenpelargonie, Rosmarin und Thymian. Sie alle
sind ausgesprochen aromatisch und in der Küche
vielseitig verwendbar. Lorbeer paßt wunderbar zu
Fleisch und Fisch, Petersilie ist die ideale Ergänzung für
Kartoffeln und viele Gemüse. Die intensive Würze von
Rosmarin und Thymian trägt zum Wohlgeschmack von
Lamm-, Geflügel- und Wildgerichten bei, während Heiligenkraut
dank seiner dekorativen und aromatischen Eigenschaften gern in
Potpourris verwendet wird.*

DUFTENDE GIRLANDEN

*D*uftende Girlanden aus getrockneten Kräutern sind eine zauberhafte Möglichkeit, deren natürliche Schönheit und köstlichen Duft zu bewahren. Zwar ist ihre Herstellung nicht ganz einfach, aber das Ergebnis lohnt mit Sicherheit die Zeit und die Mühe. Mein Favorit für Girlanden ist der Hopfen, denn er bildet hübsche Ranken, hat ein wirklich herrliches Aroma, und er läßt sich auch leicht trocknen. Hängen Sie Ihre Girlande möglichst immer so auf, daß sie vor Beschädigungen sicher ist; viele getrocknete Kräuter sind sehr empfindlich und zerfallen leicht, wenn man sie berührt.

RUSTIKALE KRÄUTERGIRLANDE
*Bündel von Knoblauchknollen, leuchtendroten
Chilischoten, getrocknetem Salbei, Dill und
blühendem Majoran hängen an einem
Seil zwischen getrockneten Hopfenblüten. Behandeln Sie sie vorsichtig,
und der prachtvolle Anblick
erfreut Sie viele Monate lang.*

HEILMITTEL

*I*n den letzten Jahren ist das Interesse an den medizinischen und therapeutischen Eigenschaften von Kräutern neu erwacht. Mit natürlichen Heil- und Stärkungsmitteln lassen sich lästige Beschwerden wie Kopfweh, Verdauungsstörungen, Erkältungen und Schlaflosigkeit wunderbar kurieren.

GRUNDREZEPT FÜR TINKTUREN
10 EL gehackte frische oder 5 EL getrocknete Kräuter mit 500 ml hochprozentigem Alkohol (Äthylalkohol oder Wodka) übergießen und gut verschlossen an einem kühlen Ort 2 bis 3 Wochen ziehen lassen, täglich schütteln.

TINKTUR GEGEN SPANNUNGSZUSTÄNDE
Kamille und Lavendel lösen nervöse Spannungen. 10 Tropfen Tinktur in eine Tasse warmes Wasser geben und abends trinken.

TINKTUR GEGEN KOPFSCHMERZEN
Bei Kopfschmerzen 5 Tropfen Veilchen- und Thymiantinktur mit warmem Wasser einnehmen.

ERKÄLTUNGSSIRUP
Bei Erkältungsbeschwerden helfen 2 TL Dill- und Kamillensirup. Dill ist schlaffördernd, und Kamille wirkt abschwellend.

›DIGESTIF‹

1 TL Pfefferminz- oder
Anissirup fördert die
Verdauung.

HUSTENSIRUP

2 TL eines Sirups aus
Echtem Eibisch und
Huflattich lösen
trockenen Husten.

HEILÖL

7 EL frische gehackte
Kräuter – z. B. Sauer-
ampfer, Kamille, Dill,
Veilchen – mit 300 ml
gutem Pflanzenöl über-
gießen und in einem fest
verschlossenen Gefäß
mindestens 2 Wochen an
einem warmen, hellen
Ort stehenlassen. Täglich
schütteln und vor
Gebrauch durchseihen

15

GRUNDREZEPT
FÜR SIRUP

2 EL getrocknete Kräuter mit
500 ml kochendem Wasser übergießen, durchseihen,
und die Flüssigkeit mit 6 EL Zucker auf kleiner
Flamme erhitzen, bis sich der Zucker auflöst; so
lange weiterkochen, bis die Masse dicklich wird.

ÖL GEGEN
HALSSCHMERZEN

2 TL Öl aus Sauer-
ampfer, Veilchen und
Honig wirken entzün-
dungshemmend und
schmerzlindernd.

POTPOURRI

*D*uftende Kräuter sind eine beliebte Zutat für Potpourris, denn sie verleihen ihnen ein warmes, würziges Aroma. Die Herstellung von Potpourri ist nicht schwierig: duftende getrocknete Blütenblätter mit getrockneten Kräutern und Gewürzen und ätherischen Ölen mischen, zur Fixierung des Duftes pulverisiertes Benzoeharz, gemahlene Iriswurzel oder Eichenmoos zufügen. Gut verschließen und sechs Wochen reifen lassen, täglich schütteln.

SOMMERMISCHUNG

Dieses goldene Sommerblumen-Potpourri besteht aus 500 ml Blütenblättern von Ringelblumen, 250 ml Rosenblüten-blättern, 125 ml Echtem Eibisch, 6 EL Dill, 4 EL Schafgarbe und 2 TL pulverisiertem Benzoeharz.

COTTAGE-GARTEN

*Je 250 ml Lavendelblüten, Majoran und
Indianernessel-Blätter mit 4 Tropfen Bergamottöl
ergeben eine Mischung von altmodischem Charme.
Zum Fixieren 2 TL gemahlene Iriswurzel zufügen.*

17

ROSENMISCHUNG

*Eine Komposition
aus 500 ml duftenden
Rosenblütenblättern,
250 ml Rosmarinnadeln
und 4 EL Pfefferkörnern, fixiert
mit 2 TL gemahlener Iriswurzel.*

DUFTKISSEN

*K*leine, mit Potpourri gefüllte Kissen sind eine besonders dekorative Möglichkeit, den Wohlgeruch von Kräutern und Blüten in Ihren Räumen zu verbreiten. Geben Sie einfach eine Potpourrimischung Ihrer Wahl zur Kissenfüllung, und genießen Sie den feinen Duft.

WÜRZIGES AROMA
Dieses handgewebte Kissen in gedämpften Blau-, Rosa- und Ockertönen ist mit einem würzigen Potpourri gefüllt, zusammengestellt aus 250 ml gemischten duftenden Blütenblättern, 10 zerdrückten Kardamomkapseln, 2 EL zerdrückten Lorbeerblättern, der geriebenen Schale von 2 Orangen und 1 TL Weihrauch.

GESTREIFTES KISSEN

*Ein Potpourri aus je 125 ml
duftenden Rosenblütenblättern
und Hopfenblüten, 4 EL Majoran,
der geriebenen Schale von
2 Limetten sowie 1 TL zerdrückten Tonkabohnen ist die
aromatische Füllung für
dieses aparte Ikat-Kissen.*

19

KARIERTES KISSEN

*Dem rustikalen Charakter des rot-grünen Stoffes
entspricht eine herb-frische Duftkomposition aus 250 ml
Zitronenstrauchblättern, 2 EL Beifuß, 6 gemahlenen
Nelken, fixiert mit 2 TL gemahlener Iriswurzel.*

KOSMETIK

chon seit der Antike werden aromatische Kräuter auch für die Schönheitspflege verwendet, wobei allerdings weniger ihr Duft als vielmehr ihre reinigende, erfrischende und feuchtigkeitsspendende Wirkung sehr begehrt ist.

REINIGUNGSMILCH

2 EL Lanolin mit 2 EL Bienenwachs schmelzen lassen. Je 2 EL warmes Mandelöl, Sojaöl, Rosenwasser und 4 EL Rosmarintinktur dazugeben. Die Mischung schlagen, bis sie dicklich wird, dann je 7 Tropfen Rosmarin- und Rosenöl zufügen.

ORANGENBLÜTEN-HONIG-GESICHTSREINIGER

Je 2 EL Kakaobutter und Bienenwachs schmelzen lassen und mit 2 EL warmem Mandelöl sowie 1 EL Honig mischen. Je 2 EL gemahlene Reiskörner und Orangenblüten- wasser zufügen, schlagen, bis die Masse dicklich wird; 4 Tropfen Orangenblütenöl unterrühren.

GESICHTSWASSER
Dieses adstringierende Gesichtswasser
riecht erfrischend nach Zitrone und
Salbei. 4 EL frische Salbeiblätter in
4 EL Wodka eine Woche ziehen lassen,
abgießen, 2 EL Zitronensaft und
1 EL Glyzerin zufügen. Mit destilliertem
Wasser verdünnen und gut verschlossen
aufbewahren.

GRUNDREZEPT FÜR
FEUCHTIGKEITSCREME
Je 2 EL Kakaobutter und Lanolin
unter ständigem Rühren schmelzen
lassen. 5 EL Kräuter- oder Blütenöl
und 1 TL Weizenkeimöl erwärmen
und hinzufügen. Abkühlen lassen,
3 EL einer Kräutertinktur und 1 EL
Glyzerin gründlich unterrühren. Gut
verschlossen aufbewahren.

21

THYMIAN-AVOCADO-CREME
Feuchtigkeitscreme mit Avocadoöl
und Thymiantinktur ist eine Wohltat
besonders für trockene Haut.

RINGELBLUMEN-EIBISCH-CREME
Ringelblumenöl und Eibischtinktur
verleihen Ihrer Haut ein strahlendes
Aussehen.

DUFTKERZEN

*K*erzen tauchen jeden Raum in weiches Licht und
schaffen eine intime, romantische Atmosphäre – zumal,
wenn Sie beim Abbrennen die Luft mit einem
betörenden Duft erfüllen. Duftkerzen können Sie sehr einfach
herstellen, indem Sie dem flüssigen Wachs einige Tropfen Duftöl
zufügen, bevor Sie es in die
Kerzenform gießen.

KRÄUTER-
KERZE
*Ein alter Tontopf
mit einer hübschen
Halskrause aus getrock-
neten Kräutern dient als
Halter für eine nach Jasmin
duftende Kerze. Die Hals-
krause besteht aus kleinen
Kräuterbündeln, die auf den
Außenrand des Topfes geklebt wurden.*

WINDLICHTER

Verstopfen Sie zunächst das Drainageloch eines ca. 10 cm hohen Tontopfes. Befestigen Sie einen Docht an einem Holzstab, den Sie quer über den Topfrand legen. Unter ständigem Rühren 650 g Paraffin schmelzen lassen und auf 70 °C erhitzen. 5 Tropfen ätherisches Öl dazugeben, das Wachs in den Blumentopf füllen, fest werden lassen, den Docht auf 1 cm Länge kürzen.

DEKORATIVE KERZEN

Getrocknete Blüten sind eine aparte Dekoration für Kerzen. Die zarten Blütenblätter haften ganz leicht, wenn Sie mit einem erwärmten Löffelstiel darüberreiben.

23

KRÄUTERSCHMUCK

*E*in rustikaler Korb voller getrockneter Kräuter, in der Küche, im Wohnzimmer oder in der Diele plaziert, ist eine wahre Augenweide, und sein Duft erfreut Sie lange Zeit. Am schönsten ist ein solches Arrangement, wenn es möglichst natürlich und wie ein Produkt des Zufalls wirkt.

DUFTENDER KORB

Die Basis dieses intensiv duftenden Arrangements ist ein flacher Korb, ausgelegt mit Trockensteckmasse, in die kleine Bündel von getrockneten Kräutern gesteckt werden. Falls die Stiele zu kurz sind, die Bündel mit Draht umwickeln, der als Verlängerung dient. Eine Mischung aus Kräutern mit dekorativen Blättern und Blüten verleiht dem Arrangement eine herrliche Palette gedämpfter Farbtöne. Es enthält Salbei, Lavendel, Majoran, Rosmarin, Fenchel, Estragon, Oregano und Geißraute. Wie alle Trockengestecke sollte auch dieser Korb so aufgehängt werden, daß er vor zufälliger Beschädigung sicher und nicht dem direkten Sonnenlicht ausgesetzt ist.

DUFTWÄSSER & SEIFEN

ie Herstellung von Duftwässern, parfümierten Seifen und Badesalzen mit aromatischen Blüten und Kräutern ist eine jahrhundertealte Kunst. Viele dieser Toilettenartikel können Sie ganz einfach selbst machen, und in schönen Gefäßen aufbewahrt sind sie eine Zierde für jedes Badezimmer.

GRUNDREZEPT FÜR DUFTWASSER

12 EL gehackte frische oder 6 EL getrocknete Kräuter mit 500 ml kochendem Wasser überbrühen, abkühlen lassen, durchseihen und mit 100 ml Äthylalkohol oder 150 ml Wodka mischen. 10 Tropfen eines aromatischen ätherischen Öls zufügen, kühl und gut verschlossen aufbewahren.

LORBEERWASSER

Belebend für Ihre Haut ist das Duftwasser mit Lorbeerblättern, Zitronenöl und Zitronenpelargonienöl.

KAMILLENWASSER

Dieses fein parfümierte Duftwasser kann auch als schonender Hautreiniger verwendet werden. Es enthält Kamillenblüten, Bergamottöl und Rosenöl.

ORANGENBLÜTENWASSER

Den zarten Duft von Orangenblüten und Orangenöl verströmt dieses Toilettenwasser.

BADESALZ

1 kg Bittersalz mit 7 EL frischen Ringelblumen-Blütenblättern und 12 Tropfen Kiefernöl mischen. Eine Woche ziehen lassen.

GRUNDREZEPT FÜR SEIFE

75 ml eines Kräuteraufgusses mit 30 ml Zitrussaft und 125 g zerkleinerter, farbloser und unparfümierter Seife erhitzen. Etwas abkühlen lassen und je 1 EL gehackte frische Kräuter und Hafermehl sowie 5 Tropfen ätherisches Öl zufügen. Formen, 1 Tag ruhenlassen, in Seidenpapier gewickelt 4 Wochen reifen lassen.

27

ROSMARINSEIFE

Diese Duftseife enthält Rosmarin und Limettensaft.

JASMINSEIFE

Hier verbinden sich betörender Jasminduft und frisches Zitronenaroma zu einer aparten Komposition.

LINDENBLÜTENSEIFE

Lindenblüten, Grapefruitsaft und Goldlacköl verleihen dieser Seife ihr süßes, schweres Aroma.

DUFTSÄCKCHEN

*K*leine Säckchen mit Kräutern, Blüten und Gewürzen in Schubladen und Kleiderschränken verleihen Ihrer Wäsche einen zarten Duft und halten gleichzeitig Motten fern. Füllen Sie ein quadratisches Stückchen Stoff mit den Zutaten Ihrer Wahl, und verschließen Sie es mit einer hübschen Schleife.

ROSEN & ROSMARIN

Ein Duftsäckchen, das sich gut für Wäscheschubladen eignet, enthält je 3 EL Rosmarin und Rosenblüten-blätter sowie ½ TL. pulverisiertes Benzoeharz.

OREGANO & MINZE

Die Füllung dieses Säckchens besteht aus je 3 EL Oregano und Minzeblättern sowie ½ TL gemahlener Iriswurzel.

HEILIGENKRAUT

Ein ausgezeichnetes Mittel gegen Motten ist Heiligenkraut. Mischen Sie 3 EL davon mit der gleichen Menge duftender Blütenblätter nach Wahl; mit ½ TL gemahlener Iriswurzel fixieren.

LAVENDEL & INDIANERNESSEL

Ein Duftsäckchen für den Kleiderschrank, gefüllt mit je 3 EL Indianernessel und Lavendel sowie ½ TL Benzoeharz.

MAJORAN & THYMIAN

Ein praktisches Säckchen zum Aufhängen; es enthält je 3 EL Thymian und Majoran sowie ½ TL Eichenmoos.

KOCHEN & BACKEN

*Ü*berall auf der Welt werden Kräuter seit jeher verwendet, um den Wohlgeschmack von Speisen zu verstärken, und das Wissen um die nützlichen Eigenschaften der aromatischen Blätter und Blüten erfreut sich auch bei uns seit einiger Zeit wieder wachsender Beliebtheit.

BOUQUET GARNI
Die klassische Version enthält Petersilienstengel, 1-2 Thymianzweige und Lorbeerblätter, die zu einem Sträußchen gebunden oder in Musselin gewickelt werden.

KRÄUTERBUTTER

Diese bunten Aufstriche sind eine köstliche Ergänzung zu Brot und Brötchen. Eine Mischung fein-gehackter Kräuter – Schnittlauch, Estragon, Dill, Kapuzinerkresse-blüten, Salbei – einfach mit guter Butter vermischen.

KRÄUTERBRÖTCHEN

450 g Vollkornmehl, 2 TL. Salz und 4 EL gehackte frische Kräuter in eine Schüssel geben. 300 ml Wasser mit 2 TL Zucker und 2 EL Olivenöl erwärmen, 20 g frische Hefe darin auflösen, zum Mehl geben und gut durchkneten. 1 Stunde gehen lassen, nochmals durchkneten. 16 Brötchen formen, zugedeckt weitere 20 Minuten gehen lassen. Mit Eigelb bestreichen und mit Kräutern und Gewürzen bestreuen. Bei 200 °C 30 Min. backen.

31

EINGEMACHTES

*K*onserven aller Art kann man mit aromatischen Kräutern eine besondere Note verleihen: Sie machen ein einfaches Gelee pikanter, mildern die Säure eingelegter Gemüse oder liefern eine exotische Komponente für fruchtige Chutneys.

TOMATENCHUTNEY

450 g Zwiebeln und 3 Knoblauchzehen andünsten. Je 1 TL Chili- und Nelkenpulver, 2 EL Senfkörner, 2 kg geschälte, gehackte Tomaten, 350 g Zucker, 400 ml Weinessig, 30 gehackte Basilikumblätter und Salz zufügen. 50 Minuten köcheln lassen. In Gläser füllen, gut verschließen und 2 Monate durchziehen lassen.

SÜSS-SAURES GEMÜSE

2 kg Gemüse (Silberzwiebeln, Karotten, Paprikaschoten) putzen und kleinschneiden, mit 100 g Salz bestreuen. 24 Stunden ziehen lassen, abspülen und abtropfen. Schichtweise mit Dillzweigen und Pfefferkörnern in Gläser füllen. 4 EL Zucker in 1 l heißem Weißweinessig auflösen, abgekühlt über das Gemüse gießen. Gut verschlossen 6 Wochen durchziehen lassen.

APFELSAUCE

650 g Zucker in 1 l heißem Apfelessig auflösen. 2 kg Kochäpfel (geschält und kleingeschnitten), 50 g in Scheiben geschnittenen frischen Ingwer, 450 g kernlose Rosinen, 10 Rosmarinzweige und 1 EL Salz zugeben; köcheln lassen, bis die Masse dick wird. In Gläser füllen, 1 Monat durchziehen lassen.

MINZGELEE

900 g Kochäpfel schälen und kleinschneiden. Mit je 300 ml Wasser und Weinessig und dem Saft von 3 Limetten weichdünsten. In einem Gelierbeutel zwei Stunden abtropfen lassen. Die Flüssigkeit erhitzen, 1 kg Zucker und etwas Limettenschale zufügen; rühren, bis sich der Zucker aufgelöst hat, und sprudelnd kochen lassen, bis der Gelierprozeß einsetzt. 25 g gehackte Minzeblätter zufügen und 1 Minute weiterkochen. In Gläser füllen und gut verschließen.

ESSIG-GEMÜSE

2 kg Gemüse vorbereiten (geschälte ganze Tomaten, Blumenkohlröschen, rote Paprikaschoten), mit Salz bestreut 24 Stunden ziehen lassen. Gut abspülen und abtropfen lassen. Mit einigen Salbeizweigen in Gläser füllen, erhitzten, aber nicht kochenden Sherryessig aufgießen, fest verschlossen 6 Wochen durchziehen lassen.

ROSENKONFITÜRE

Dieses Rezept stammt ursprünglich aus dem Orient, wo Rosenwasser seit jeher gerne zur Herstellung von Süßspeisen und Gebäck verwendet wird. Für die Rosenkonfitüre 1 l duftende Rosenblüten-blätter mit 300 ml kochendem Wasser überbrühen, nach 2 Minuten abseihen, gut ausdrücken und wegwerfen. Das Rosen-wasser mit dem Saft von 2 Zitronen, 450 g Gelierzucker und 500 ml frischen Rosenblütenblättern kochen, bis die Flüssigkeit zu gelieren beginnt. In Gläser füllen und fest verschließen.

SOMMER-BOWLE

E eine fruchtige Bowle, aromatisiert mit
duftenden Kräutern und mit eßbaren Blüten
garniert, ist auf jedem Sommerfest eine
willkommene Erfrischung. Bowlen enthalten in
der Regel Wein oder Sekt, aber alkoholfreie
Zutaten wie Mineralwasser, Obstsäfte und
Tee sind an heißen Sommertagen
weitaus bekömmlicher.

FRUCHTIGE MINZBOWLE
*1 l roten Grapefruitsaft mit 4 EL Zucker erhitzen,
bis sich der Zucker aufgelöst hat. Ca. 40
Minzeblätter zufügen und über Nacht
ziehen lassen. Die Flüssigkeit durchseihen
und je 1 l Rotwein und kräftigen Earl-Grey-Tee
sowie den Saft von 3 Zitronen zugeben.
Mindestens zwei Stunden an einem kühlen Ort
ziehen lassen. Mit einer Auswahl eßbarer Blüten
hübsch garnieren.*

ESSIG & ÖL

Mit Kräutern aromatisierte Essige & Öle verleihen vielen Gerichten einen herzhaften, kräftigen Geschmack. Sie eignen sich besonders für Salate, Suppen und Saucen. Komponieren Sie Ihre eigenen Kräutermischungen, mit denen Sie Essig und Öl würzen.

DILLESSIG
Dieser Essig (links) verbindet die leichten, frischen Aromen von Dill und Anis; er ist köstlich in Fischsaucen und Salatdressings.

WACHOLDERESSIG
Der mit Rosmarin und Wacholdernadeln gewürzte Essig (rechts) verleiht Schmorgerichten eine besonders pikante Note.

Rosenessig

Rosenblütenblätter und Zitronenpelargonienblätter bilden die Grundlage für eine aparte Salatsauce. Verwenden Sie einen milden Essig, der das zarte Blütenaroma nicht übertönt.

Grundrezept

Die gereinigten und getrockneten Blätter, Blüten oder Samen in eine saubere Flasche füllen, mit gutem Weinessig bedecken, fest verschließen und an einem sonnigen, warmen Platz 2 bis 3 Wochen stehen lassen, gelegentlich durchschütteln – dann ist die aromatische Würze fertig.

Für Kräuteröl verfahren Sie analog, nur verwenden Sie in diesem Fall kaltgepreßtes Pflanzenöl.

Würziges Öl

Olivenöl mit Pfefferkörnern, Thymian, Rosmarin und kleinen Chilischoten ansetzen.

37

DEKORATIONEN

*J*edes gute Essen schmeckt gleich noch besser, wenn es hübsch angerichtet wird. Viele Speisen wirken mit Kräutern und Blüten verziert besonders appetitlich, vor allem, wenn Sie reizvolle Farbkombinationen zusammenstellen. Garnieren Sie für einen besonderen Anlaß doch einmal einen Blattsalat mit eßbaren Blüten, dekorieren Sie einen Kuchen mit gezuckerten Blütenblättern oder servieren Sie das Dessert in einer Schüssel aus Eis und Blütenblättern.

BUNTER SALAT
Mischen Sie einen Salat aus Zutaten mit unterschiedlichen Formen und Farben, z. B. Kopfsalat, Frisée, Paprika- schoten, Tomaten, und

dekorieren Sie ihn mit den farben- prächtigen eßbaren Blüten von Kapuzinerkresse, Stiefmütterchen, Ringelblumen und Borretsch.

EIS-SCHALE

Sie benötigen zwei Schüsseln, von denen die eine ca. 2,5 cm weiter ist als die andere. Die größere Schüssel zur Hälfte mit Wasser füllen und die kleinere hineinsetzen. Mit einem Gewicht beschweren und beide Schüsseln dann mit Klebeband so verbinden, daß rundum ein Zwischenraum von ca. 2 cm entsteht. Blüten und Blätter ins Wasser gleiten lassen und zwischen den beiden Schüsseln arrangieren. Tieffrieren und in kaltem Wasser aus der Form lösen

Diese dekorativen Eis-Schalen eignen sich besonders zum Servieren von Eiscreme, Obstsalat, eisgekühlten Suppen oder Bowlen. Sie sind ideal für besondere Gelegenheiten und machen großen Eindruck, obwohl Sie sehr leicht herzustellen sind. Wenn sie nach Gebrauch wieder in die Tiefkühltruhe gestellt werden, können Sie sie sogar mehrfach verwenden.

GEZUCKERTE BLÜTEN

Einzelne Blüten-blätter oder ganze Blüten von Rosen, Primeln und Stief-mütterchen oder auch Obstblüten mit Eiweiß bestreichen. Dünn mit Puderzucker bestäuben und trocknen lassen. Die Blüten halten etwa 1 Woche.

REGISTER

DANKSAGUNG

*Der Autor dankt
Quentin Roake
für seine Unterstützung,
Rosemary Titterington von Idencroft
Herbs sowie Osborne & Little.*

*Dank gilt auch Alastair Wardle,
Veronique Rauch und
Martin Breschinski.
Die Randzeichnungen sind von
Pauline Bayne.*